아빠랑
홍콩 가자

Hong Kong where

Disney

CONTENTS

5

Ready To Go

6

Day 1

공항에서 / 워터월드 /
넵튠 레스토랑

14

Day 2

오션파크 / 홍콩 전통의상 체험 /
센트럴 지역 산책

22

Day 3

빈티지 그릇가게 데이트 / 아트파크 /
빅버스 나이트 투어

30

Day 4

차찬텡, 청힝카페 /
로컬 딤섬 맛집, 원딤섬

34

Epilogue

READY TO GO

방학 때마다 돌아오는 고민, 어떻게 하면 아이들과
기억에 남는 방학을 보낼 수 있을까.
이번 방학엔 나와 아이들만의 추억을 만들고 싶었다.
테마파크도 있고, 아이들 입맛에 맞는 맛있는
음식도 있는 홍콩이라면 아이들과 쉽게 여행할 수
있으리라. 아빠만 믿고 따라와!

출발~ 공항에 도착하니 벌써 두근두근

한국에서 홍콩까지 3시간 반이면 갈 수 있으니,
아침에 출발한다면 하루를 꽉 채워
재미있게 보낼 수 있다. 한국과 홍콩을
오가는 항공편만 주 100여 편이라고 하니,
다양한 선택지가 있어서 좋다.
아이들도 잔뜩 기대하며 신난 모습을
보니 벌써 흐뭇하다. ♥

홍콩아 기다려~ ♥

맛있는 기내식을 먹고 얘기를 나누다 보니 곧 홍콩에 도착. ♥

이제 홍콩 여행 시작!

공항에서 바로 연결된 고속열차를 타고
20분이면 홍콩 시내에 도착할 수 있다. ♥

시작은 워터월드에서 시원하게~

일단 물놀이 먼저~ ✦

이번 홍콩 여행의 시작은 오션파크의 워터월드다! 2021년도에 개장한, 소위 '신상' 워터파크인데, 아침 일찍 일어나 살짝 피곤해진 아이들에게 물놀이가 최고일 거라는 생각에 첫 번째 여행지로 정했다.
워터월드에는 아이들부터 어른까지 하루 종일 즐길 만한 다양한 놀이기구와 실내외 수영장이 있다. 야외 수영장에서 아이들과 튜브도 타고 물총 싸움도 하다 보니, 약간 출출해져서 아이들이 좋아하는 감자튀김도 먹었다. ♥
@ Warter World 워터월드 waterworld.oceanpark.com.hk

야외 수영장에서 충분히 논 나은이와 건후가 슬라이드를 타자고 한다. 용기를 내 무지개색 슬라이드를 같이 탔는데, 나는 한 번이면 충분한 것 같다. 아이들은 무섭지도 않은가 보다! 아직 키가 작은 건후가 못 타는 슬라이드가 있어서 아쉬워하길래, 키가 조금 더 크면 다시 오기로 약속했다. ♥

아쿠아리움 레스토랑에서
저녁 식사 ✹

동물을 좋아하는 나은이와 건후를 위해 특별한 저녁 식사를 경험 시켜주고 싶었다. 그래서 선택한 넵튠 레스토랑. 대형 수족관을 배경으로 식사할 수 있어서, 마치 <아바타 2>의 주인공이 된 기분이 든다. 가오리와 상어들이 우리에게 마치 인사하듯 얼굴을 보여줘서 아이들이 식사 시간 내내 너무 신이 났다. 홍콩에서의 첫 저녁을 보내기에 더할 나위 없이 좋았다. 🖤

@ Neptune's Restaurant 넵튠 레스토랑

첫째 날 나운이의 일기

첫 번째 날에는 호텔에 갔다. 호텔 문을 열었더니 정글 방이었는데, 침대가 차인 거예요. 너무 좋았어요. / 워터월드에 갔을 때 무지개 미끄럼틀이 제일 재미있었다. 그리고 물이랑 노니까 아주 아주 시원했다. 나는 아빠 보다 용감하다. 왜나고요? 아빠가 무서워 했으니까요!

ocean park
hong kong
best theme park

해양테마공원, 오션파크

아이들과 함께 여행할 때 놀이공원은 꼭 가게 되는데, 이번엔 홍콩의 대표 테마파크인 오션파크를 가봤다. 워터월드와도 아주 가깝고, 셔틀로 이동할 수 있다. 멋진 바다를 배경으로 하고 있어, 이름이 왜 오션파크인지 알 것 같다. 놀이기구도 타고 동물원도 관람할 수 있는, 한국의 '에버랜드' 같은 곳이다. ♥

@ Ocean Park 오션파크 www.oceanpark.com.hk

오션파크에서 나은이와 건후처럼 귀여운 판다와 펭귄을 만날 수
있었다. 개인적으로 놀이기구가 아주 조금 무서웠지만,
아이들을 위해서 이쯤이야! ♥

멋지게 전통의상을 차려입고, 영화 세트장처럼 꾸며
진 공간에서 다양한 포즈를 취했다. 마치 영화 속 주
인공이 된 기분이다. ♥

홍콩 전통 의상 체험

요즘 아이들이 사진 찍기에 푹 빠져 있다. 즉석카메라를 들고 다니며 기념사진을 서로
찍어주기도 하고, 나은이는 자기 휴대폰으로 가는 곳마다 사진과 영상을 열심히 찍는다.
그런 아이들에게 조금 더 특별한 추억을 만들어 주기 위해 홍콩 전통 의상 체험을 예약
했다. 다양한 정장과 홍콩 전통 의상이 사이즈별로 준비돼 있었는데, 나는 건후가 골라
준 정장에 나은이가 골라 준 넥타이를 맸다. 나은이는 직접 고른 치파오를 입고, 헤어 메
이크업까지 받았다. 그 모습을 보는데 기분이 묘해지면서, 새삼 '우리 딸이 많이 컸구나'
하는 생각이 들었다. 우리 모두 즐거웠지만 특히 나은이가 너무 좋아했다! 아이들과 즐
거운 추억 남기기 대성공! ♥

@ 20세기 연화 치파오 www.20s.hk

센트럴 지역 산책

아이들과 함께하는 이번 여행은 좀 느긋하게 즐기기로 했다. 나은이, 건후와 함께 홍콩의 센트럴 지역을 걸었다. 영화에서 많이 보던 그 에스컬레이터가 바로 여기였구나! 한참 에스컬레이터를 타고 올라가다 보니, 사람들이 길게 줄을 선 에그타르트 가게가 보인다. 에그타르트는 못 참지! 우리도 줄을 서 봤다. 맛집 앞에서 줄서서 기다리는 것도 추억이 되는 게 여행의 힘이구나. 출출한 배를 채웠으니, 거리를 좀 더 걸어 보기로 했다. 빌딩 숲 사이사이로 벽화 거리도 있고, 오래된 상점들도 있는 모습이 매우 이국적이다. 그렇게 한참을 걷다 보니 어느새 저녁이 됐다. ♥

에그타르트는 사자마자 바로 가게 앞에서
한 입씩 맛을 봤는데, 왜 유명한지
납득이 되는 맛이었다.

둘째 날 나은이의 일기

판다는 엄청 귀여웠다. 홍콩 또 가고 싶다! /
저 예쁘죠. 홍콩에서 멋진 사진을 찍어서 너무 좋았다.

아빠와 나은이의
빈티지 그릇 가게 데이트

평소에 차를 좋아하는 나은이 엄마를 위한 빈티지 그
릇과 찻잔 등을 사러 갔다. 나 혼자 선물을 고르는 것보
다 나은이의 도움을 받는 것이 좋을 것 같아, 나은이에
게 함께 가달라고 데이트 신청을 했다. 우리가 찾아간
가게에는 나은이 엄마가 좋아할 만한 오리엔탈 느낌
의 그릇과 찻잔들이 가득했다. 사고 싶은 것이 많았지
만, 다 가져갈 수는 없으니 나은이와 열심히 상의한 끝
에 30~40년 전 장인이 만들었다는 핸드메이드 그릇
과 찻잔 세트를 골랐다. 그것만 사기엔 조금 아쉬워, 내
커피잔도 한두 개 샀다. 아주 잠깐 있었던 것 같은데 한
시간 이상 흘러 있었다. ♥

Let's Play in the Park

한창 뛰어노는 게 좋은 건후를 위해 어디를 가면 좋을까 고민하
다, 홍콩 사람들이 주말 피크닉으로 많이 간다는 서구룡 아트파크를 가
보기로 했다. 빅토리아 하버를 배경으로 드넓은 잔디밭이 펼쳐져 있어, 아이들
과 함께 시간을 보내기 딱 좋은 공간이었다.
주변에 엠플러스 박물관도 있고, 산책로를 따라 다양한 레스토랑, 간편하게 즐길 수 있는 푸
드트럭도 있어서 하루 종일 시간을 보낼 수 있을 것 같다. ♥

@ The West Kowloon Cultural District 서구룡 문화지구

때마침 어떤 아들과 아빠가 축구를 하고 있었는데, 건후가 자연스럽게 합류해서 신나게 공을 차기 시작했다. 멋진 아빠의 모습을 뽐낼 시간인가. 말은 통하지 않았지만, 홍콩 부자와 함께 꽤 오랜 시간 동안 공을 차고 뛰었다. 기분 좋게 땀을 흘린 뒤, 아이들과 함께 푸드트럭에서 사 온 맛있는 간식을 먹으며 석양이 비치는 항구를 바라보는, '물멍'의 시간을 보냈는데, 너무 평화롭고 소중하다는 생각이 새삼 들었다. ♥

시원한 바람을 맞으며 달리는 빅버스 나이트 투어

지붕이 없는 2층 버스를 타고 밤바람을 맞으며 홍콩의 야경을 즐기는 시간. 2층 버스를
탄다는 사실만으로도 이미 신난 아이들이다. 하루의 마지막을 여유롭게 즐기기에 더할
나위 없이 좋았다. 한 시간 정도 되는 짧은 시간이지만, 아직 가보지 못한 나이트 마켓의
분위기도 느낄 수 있었고 홍콩의 구석구석을 둘러본 기분이 들어 좋았다. 처음에 신났
던 아이들은 낮에 뛰어논 탓에 피곤했는지, 시원한 바람을 맞으며 잠이 들었다. 그 모습
이 또 귀엽다. ♥

@ Hong Kong Big Bus 홍콩 빅버스 www.bigbustours.com

Panoramic Views of Hong Kong

빅토리아 피크

홍콩 하면 제일 먼저 떠오르는 것이 야경이다. 아이들과 함께 어디서 야경을 보는 것이 좋을지 고민하다가, 지난 여행에 못 갔던 피크 트램을 타보기로 했다. 가파르게 기울어져 올라가는 피크 트램을 타러 가니, 그 유명세만큼 관광객도 굉장히 많았다. 괜히 더 기대됐다. 트램 안에서 보는 홍콩의 야경은 황홀했다. 우리가 홍콩에 온 것을 환영이라도 해주듯 날씨도 너무 좋았다. 점점 더 야경이 잘 보일수록 우리가 얼마나 높이 올라왔는지 느껴졌고, 높이 올라갈수록 아이들도 더 신이 나는 듯했다. 멋진 홍콩의 야경을 배경으로 기념사진을 남겼다. 나중에 나은이와 건후가 이 순간을 꼭 기억해줬으면 좋겠다. ♥

@ Victoria Peak 빅토리아 피크 www.thepeak.com.hk

공원은 시원하고, 재미있었다. 버스에서 엄청 피곤했지만
홍콩을 구경하고 싶어서 참았다. ㅋㅋㅋ
버스에서 사진도 많이 찍었다.

차찬텡, 청힝카페

오전에 느긋하게 홍콩의 식문화를 대표하는 차찬텡에서 브런치를 먹기로 했다. 고급스럽고 멋진 곳도 좋지만, 홍콩 현지 사람들이 매일 즐기는 문화를 체험하고 싶었는데, 아이들이 생각보다 곧잘 따라와 줬다. 잘 알아볼 수는 없었지만, 식당 벽이 유명인들의 사인으로 가득 찬 걸 보니 엄청 유명한 곳을 잘 찾아온 듯하다. 그 중엔 영화배우 장국영의 사인도 있었다!

식당 밖에는 파인애플 번을 사려고 줄을 선 홍콩 사람들이 많았다. 우리는 자리에 앉아 나은이와 건후가 잘 먹었던 홍콩식 누들과 파인애플 번 샌드위치, 밀크티(똥나이차)를 주문했다. 후루룩후루룩 나은이와 같이 면치기도 하면서 만족스러운 아침 식사를 했다. ♥

@ 청힝카페 Cheung Hing Coffee Shop / 9 Yik Yam Street, 9 Yik Yam St, Happy Valley

홍콩 로컬 딤섬 맛집, 원딤섬

지난번 홍콩 여행에서 제일 아쉬웠던 점이 제대로 된 로컬 딤섬을 못 먹어본 것이다. 두고두고 아쉬움이 남아 이번엔 작정하고 로컬들 사이에서도 유명하다는 딤섬 집을 물어물어 찾아갔다.

사진이 나와 있는 메뉴판을 보고 아이들의 입맛에 맞을 만한 메뉴를 포함해 다양하게 주문했는데, 끊임없이 딤섬이 나오는 것이었다. 욕심이 과했나 싶었지만, 걱정은 기우였다. 아이들도 뜨거운 딤섬을 호호 불어가며 잘 먹었다. 특히, 닭고기가 올라간 밥 종류와 커스터드 빵을 좋아했다. 잘 먹는 아이들을 보니 역시 오길 잘했다는 생각이 들었다. 한국에서 먹는 딤섬과 차원이 다르지? ♥

@ 원딤섬 One Dim Sum / 209A Tung Choi St, Prince Edward

만두랑 밀크티를 먹은 날!
밀크티가 더 맛있었어요. ㅋㅋㅋ

홍콩을 다시 가게 된다면!

이번 여행에선 홍콩의 여름을 제대로 즐겼으니, 다음엔 온 가족이 함께 따뜻한 홍콩의 겨울을 즐기러 오고 싶다. 이번 여행에서 제일 기억에 남는 시간을 꼽으라면, 서구룡 아트 파크에서 아이들과 함께했던 시간이다. 한국의 추운 겨울 날씨와 두꺼운 외투에서 벗어나 가벼운 옷차림으로 온 가족이 빅토리아 하버를 따라 산책도 하고, 피크닉도 하면 참 좋을 것 같다. 자전거를 타고 돌아다니기 좋다는 홍콩의 다른 섬에도 가보고 싶다. 하이킹 코스도 있다는데, 아이들이 잘 따라와 줄까?

아무 생각도 안 하고 푹 쉬는 호캉스도 좋겠다. 이번 여행 후에 아이들이 워터월드에서 물놀이했던 얘기를 많이 했다. 다음번에는 진우도 함께 와서 물놀이도 즐기고, 바다가 보이는 호텔에서 호캉스를 하면 엄마에게도, 아이들에게도 또 좋은 시간이 될 것 같다. ♥

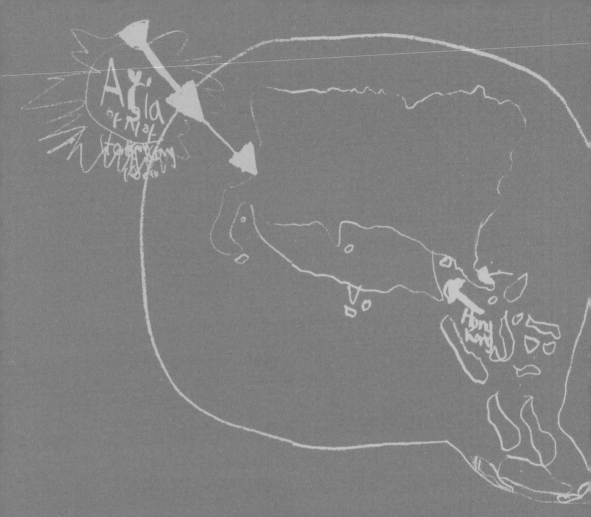

아빠랑 홍콩 가자
아빠 박주호와 찐건나블리의 3박 4일 홍콩 여행

발행 2024년 1월 31일

지은이 박주호·박나은·박건후
펴낸이 김화정

인쇄 (주)미래피앤피

펴낸곳 mal.lang
주소 서울시 중랑구 중랑천로14길 58, #1517
전화 02-6356-6050 **이메일** ml.thebook@gmail.com
출판등록 2015년 11월 23일 / 제25100-2015-000087호

ISBN 979-11-983478-3-1